# TARO DEUDDEG

HWIANGERDDI

gan

CEFIN ROBERTS

Cyflwynedig i
TIRION a SIONED
a chyda diolch i
EFAN JAC
am yr ysbrydoliaeth

ISBN 978-1-907424-19-9



Mae'r cyhoeddwr yn cydnabod cefnogaeth ariannol
Cyngor Llyfrau Cymru

Clawr a'r lluniau gan Helen Flook

Cyhoeddwyd ac argraffwyd gan Wasg y Bwthyn, Caernarfon

CYNNWYS

**Trefn y caneuon ar y CD**

1. Nina Nana
2. Dy Seren Gynta
3. Weli Di'r Haul ?
4. Cofio
5. Heddiw, Heno, Fory
6. Amser Gwely
7. Pen-blwydd Hapus!
8. Neithiwr
9. Colli Dant
10. W's Di Be?
11. Beth ?
12. Breuddwyd

**Cyfeiliant yn unig**

13. Nina Nana
14. Dy Seren Gynta
15. Weli Di'r Haul ?
16. Cofio
17. Heddiw, Heno, Fory
18. Amser Gwely
19. Pen-blwydd Hapus!
20. Neithiwr
21. Colli Dant
22. W's Di Be?
23. Beth ?
24. Breuddwyd

Llais: Mirain Haf (ac eithrio trac 7)
Llais: Cefin Roberts (trac 7)
Cyfeiliant: Annette Bryn Parri

Y geiriau i gyd gan Cefin Roberts

Y gerddoriaeth:
Traciau 1, 4, 6, 8: Robat Arwyn
Traciau 5, 9, 10, 12: Einion Dafydd
Traciau 2, 3, 7, 11: Annette Bryn Parri




Recordiwyd yn Stiwdio Sain, Llandwrog
yn ystod Mehefin a Gorffennaf 2011
Peirianwyr:
Eryl B Davies, Siwan Lisa Evans
℗ TRYFAN TRF CD452
www.sainwales.com

Dwi'n ddiolchgar iawn i Wasg y Bwthyn am fentro hefo mi i gyhoeddi'r gyfrol fach yma. Mi ges i'r pleser rhyfedda'n ei hysgrifennu, a 'dwi wir yn gobeithio y cewch chwithau i gyd yr un hwyl yn canu a llefaru'r geiriau.

Dros y blynyddoedd 'dwi wedi 'sgwennu cannoedd os nad miloedd o gerddi a chaneuon i blant a phobl ifanc, ond dyma'r tro cyntaf imi 'sgwennu cyfrol o hwiangerddi. Flynyddoedd yn ôl, ar enedigaeth fy mhlant, fe 'sgrifennais i un suo gân yr un i Tirion a Mirain, ond mae deng mlynedd ar hugain a mwy ers hynny. Erbyn hyn mae Tirion, fy mab, yn dad ei hun, a genedigaeth Efan Jac, fy ŵyr cyntaf, fu'r ysbrydoliaeth i fynd ati i lunio'r gyfrol hon. Yn wir, fe 'sgrifennais i 'Dy Seren Gynta' cyn iddo gael ei eni hyd yn oed! Yn syth wedi i Tirion a Sioned ddweud bod yna ŵyr bach ar ei ffordd fe ddechreuodd y syniadau lifo. Ac ar falconi yn yr Eidal, yn edrych i fyny ar y sêr rhyw nos o haf y daeth yr hwiangerdd gyntaf. O fewn wythnos roeddwn wedi ysgrifennu 'Nina Nana'. Cefais y teitl gan fy athrawes Eidaleg yn Saló – dyna mae'r Eidalwyr yn galw 'Cân y Crud' medda hi.

Fe gyfansoddais alaw 'Dy Seren Gynta' fel roedd y geiriau'n dod imi, ond pan ddaeth yr ysgogiad i 'sgwennu cyfrol mi fu'n rhaid imi alw'r arbenigwyr i mewn. Dwi'n hynod ddiolchgar i Annette, Arwyn ac Einion am gamu i'r bwlch ac am gyfansoddi yng nghromfachau eu prysurdeb. Mae Ysgol Glanaethwy eisoes wedi elwa llawer iawn ar dalent y tri ohonynt. Gobeithio rŵan y bydd gweddill plant a rhieni Cymru yn canu, dysgu (a chysgu gobeithio) yn sŵn eu gwaith.

Gobeithio hefyd y bydd athrawon yn cael budd allan o'r gyfrol ac y bydd yna hen ganu ar yr alawon yma yn y dosbarthiadau am flynyddoedd i ddod. Sylwch bod yna drefniant deulais a mwy ar gyfer y rhai mentrus yn eich plith.

Carwn ddiolch i'r arlunwraig Helen Flook hefyd. 'Dwi'n siŵr y bydd y lluniau a greodd ar gyfer y gyfrol yn gymorth i ddeffro'r dychymyg ac i'ch arwain yn dyner i mewn i'r caneuon a'r breuddwydion braf. Gobeithio y bydd y cryno ddisg o'r caneuon gan Annette a Mirain Haf yn hwb ac yn symbyliad ichi hefyd. Cofiwch mai cymorth yn unig yw'r ddisg ac nid esgus i laesu dwylo! Llais y rhiant fydd y plentyn am ei glywed yn y diwedd waeth beth fo'i sgiliau canu. Mentrwch arni – a phob hwyl!

# Nina Nana

*Unawd*

Cefin Roberts — Robat Arwyn

16
arafu
bo - re cwsg yn da - wel, tan y wawr-ddydd cwsg yn rhydd. Paid a
20
tempo 1
phoe - ni am y siwr - ne, mae pob nos yn troi yn ddydd.
24
Yn y
28
mp
byd lle by - ddi'n chwa - rae, rhai sy'n cael, caiff e - raill gam.
mp

32
p
Ond am he - no cwsg fy ma - ban, cwsg yn fwyn ar fron dy
p
36
fam.
Tan y bo - re cwsg yn da - wel, tan y
40
arafu
tempo 1
wawr - ddydd cwsg yn rhydd. Paid a phoe - ni am y siwr - ne, mae pob
44
mf
nos yn troi yn ddydd.
Ac mae'r byd lle by - ddi'n
mf

48
mp
ty - fu weith - iau'n_ glaf ac weith - iau'n_ iach. Ond am he - no cwsg fy
mp
53
p
nghar - iad, cwsg yn awr fy ma - ban_ bach. Tan y bo - re cwsg yn
p
58
arafu
tempo 1
da - wel, tan y wawr - ddydd cwsg yn__ rhydd. Paid a phoe - ni am y
62
siwr - ne, bydd pob nos yn troi yn__ ddydd. Tan y bo - re cwsg yn

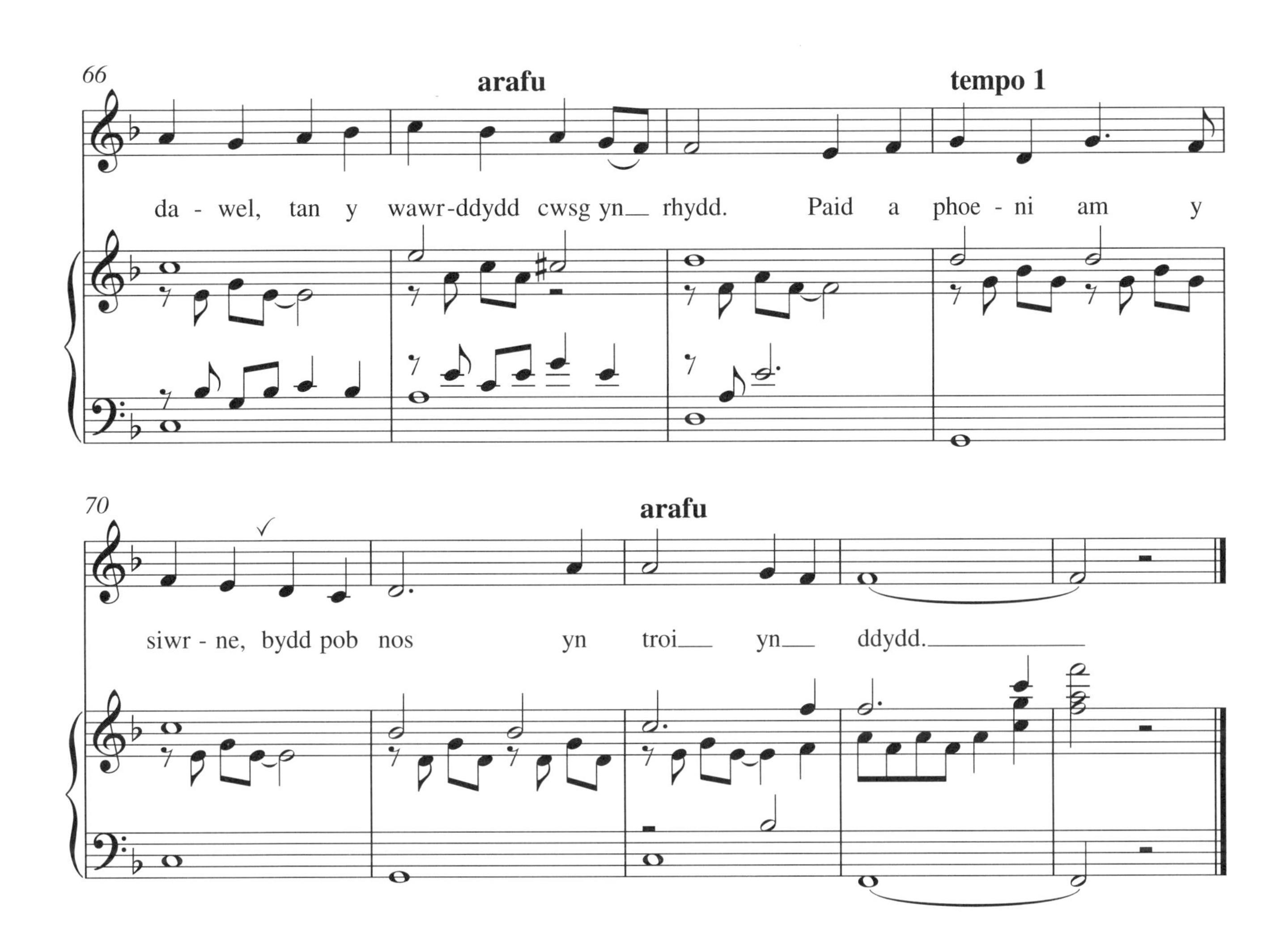
66
arafu
tempo 1
da - wel, tan y wawr-ddydd cwsg yn rhydd. Paid a phoe - ni am y
70
arafu
siwr - ne, bydd pob nos yn troi yn ddydd.

# NINA NANA

Yn y byd sydd yn dy aros
mae 'na nos ac mae 'na ddydd.
Ond am heno cwsg fy mhlentyn,
cwsg yn dawel, cwsg yn rhydd.

*Cytgan:*
Tan y bore
cwsg yn dawel,
tan y wawrddydd
cwsg yn rhydd.
Paid a phoeni am y siwrne,
mae pob nos yn troi yn ddydd.

Yn y byd lle byddi'n chwarae,
rhai sy'n cael, caiff eraill gam.
Ond am heno cwsg fy maban,
cwsg yn fwyn ar fron dy fam.

*Cytgan:*
Tan y bore
        cwsg yn dawel,
tan y wawrddydd
        cwsg yn rhydd.
Paid a phoeni am y siwrne,
mae pob nos yn troi yn ddydd.

Ac mae'r byd lle byddi'n tyfu
weithiau'n glaf ac weithiau'n iach.
Ond am heno cwsg fy nghariad,
cwsg yn awr fy maban bach.

*Cytgan:*
Tan y bore
        cwsg yn dawel,
tan y wawrddydd
        cwsg yn rhydd.
Paid a phoeni am y siwrne,
bydd pob nos yn troi yn ddydd.

# Dy Seren Gynta

Cefin Roberts

*Unawd*

alaw Cefin Roberts
trefniant Annette Bryn Parri

14
1.
new - ydd o hyd i dy swyn o di
car - ped o hud yn eu go - lau
1.
p
18
2.
hwy.
2.
p
22
p
A phan ddaw y lloer i or - wedd ar gar - ped du y
p
26
mf
nen, bydd gwlad o hud a lled - rith yn ag - or uwch dy
mf

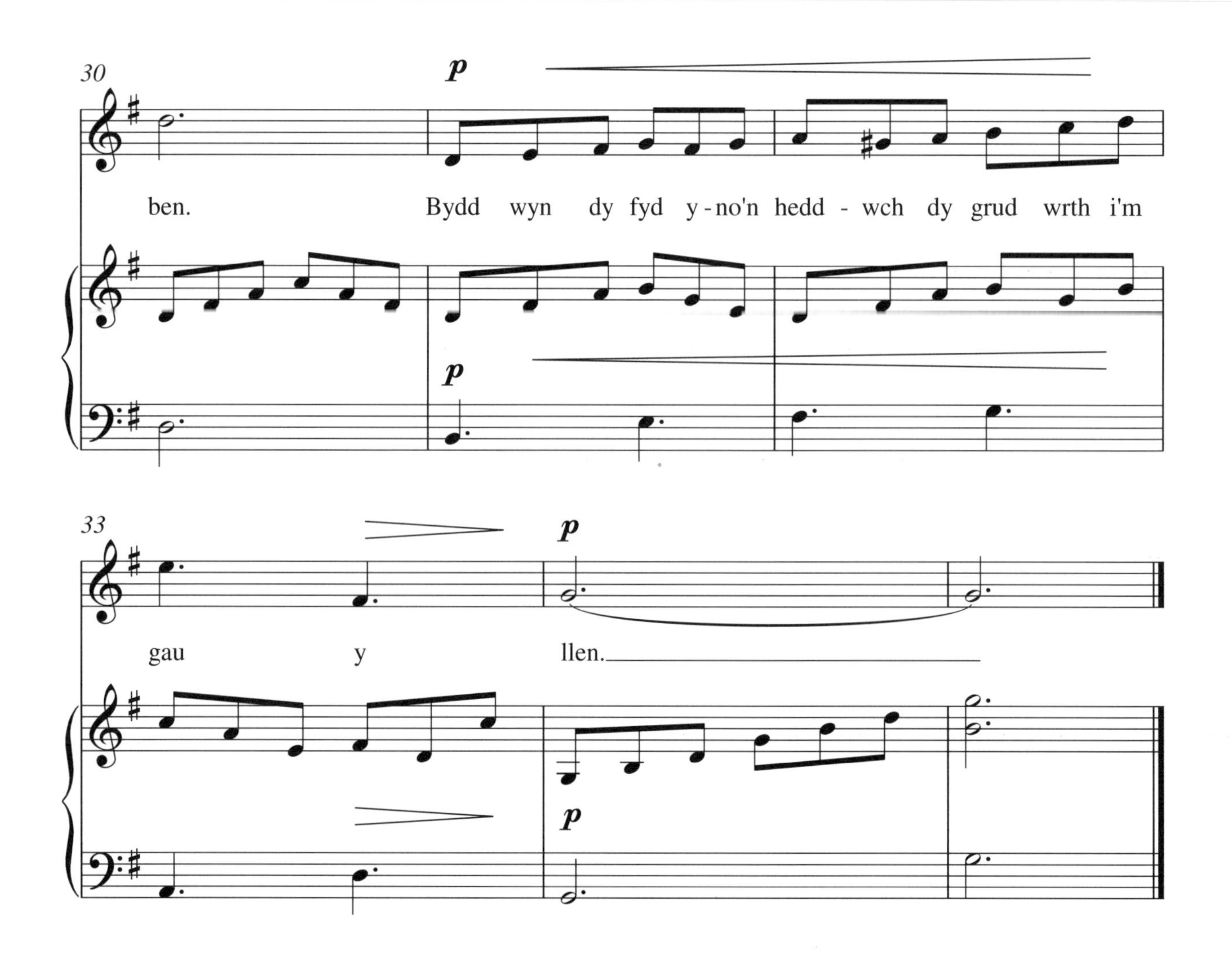
30
p
ben.
Bydd wyn dy fyd y-no'n hedd - wch dy grud wrth i'm
33
gau
y
llen.

# DY SEREN GYNTA

Pan weli dy seren gynta
yn gwenu arnat ti,
fe ddoi i sylweddoli
mor bell i ffwrdd yw hi.
Bydd gan y byd
rywbeth newydd o hyd
i dy swyno di.

Pan ddaw'r holl sêr i'r golwg
fesul un a dwy,
fe fydd pob seren fechan
yn creu y darlun mwy.
A bydd y byd
yn un carped o hud
yn eu golau hwy.

A phan ddaw y lloer i orwedd
ar garped du y nen,
bydd gwlad o hud a lledrith
yn agor uwch dy ben.
Bydd wyn dy fyd
yno'n heddwch dy grud
wrth im gau y llen.

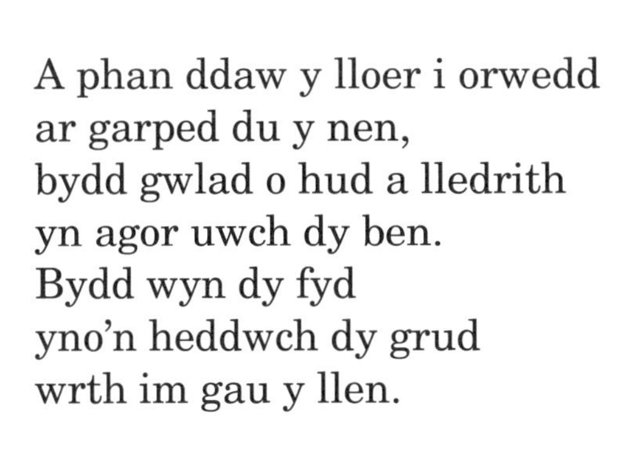

# Weli Di'r Haul?

*Deuawd*

Cefin Roberts

Annette Bryn Parri

15
Ah - a - a - ah, yr haul mawr crwn.
Ah - a - a - ah, i'r a - dar bach.
20
mp
25
mp
We-li di'r blo - dau hardd? Lliw-iau ar ddôl a gardd. Ond
We-li di'r byd mawr crwn? Try-sor i bawb yw hwn. A
29
f
paid di a'u cas-glu, a gwyl-ia di sath-ru y blo - dau hardd. W - w -
chof-ia ei ran-nu, hyd ei-tha dy a-llu, y byd mawr crwn. W - w -
f

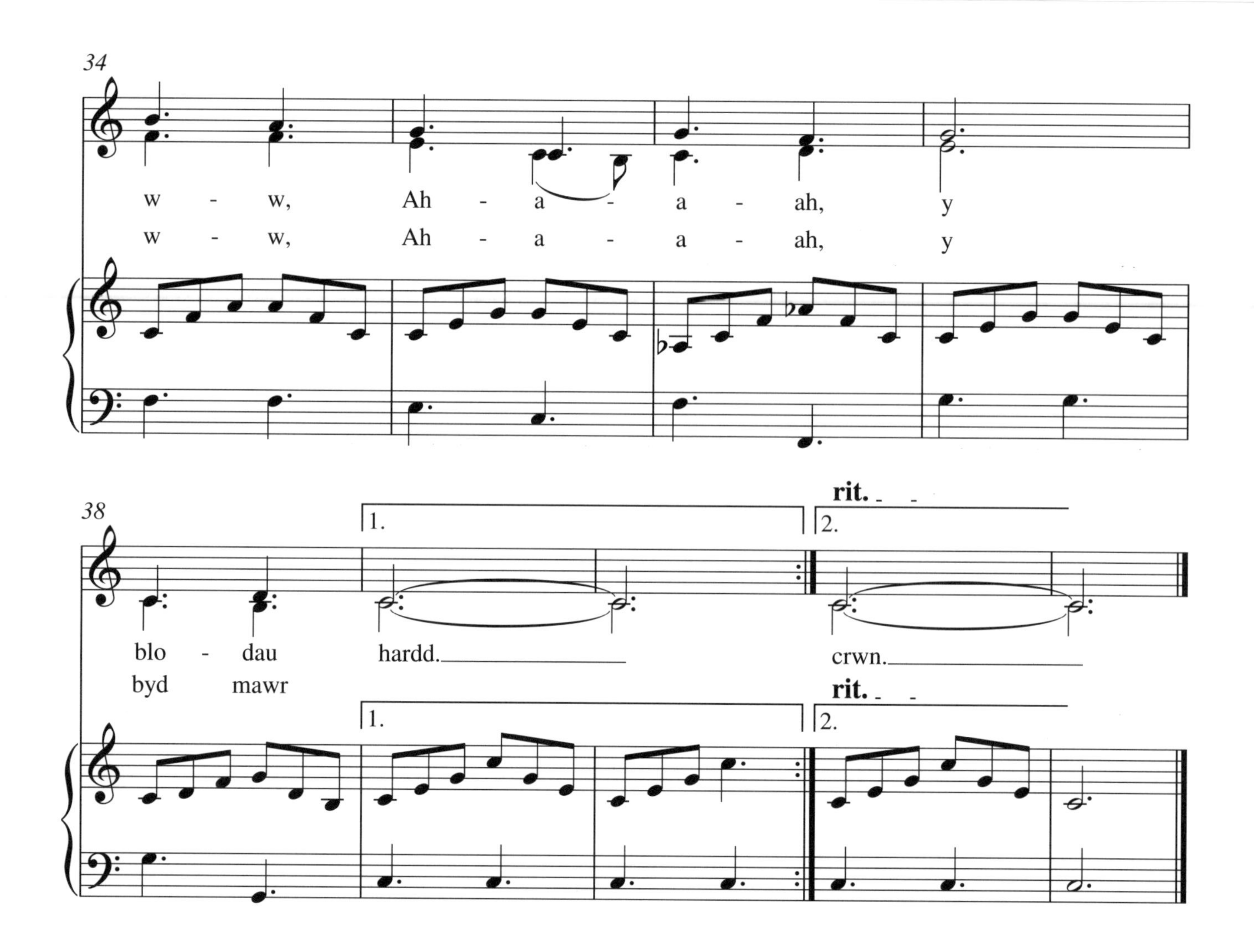
34
w - w, Ah - a - a - ah, y
w - w, Ah - a - a - ah, y
38
rit.
1.
2.
blo - dau hardd. crwn.
byd mawr
rit.
1.
2.

# WELI DI'R HAUL?

Weli di'r haul mawr crwn?
Cei amser braf yn hwn.
Ond cofia roi eli
bob tro y gweli
yr haul mawr crwn.

W-w-w-w,
Ah-a-a-ah,
yr haul mawr crwn.

Weli di'r blodau hardd?
Lliwiau ar ddôl a gardd.
Ond paid di a'u casglu,
a gwylia di sathru
y blodau hardd.

W-w-w-w,
Ah-a-a-ah,
y blodau hardd.

Weli di'r adar bach?
Glywi di'r canu iach?
Ond cofia roi hada
drwy fisoedd y gaea
i'r adar bach.

W-w-w-w,
Ah-a-a-ah,
i'r adar bach.

Weli di'r byd mawr crwn?
Trysor i bawb yw hwn.
A chofia di rannu,
hyd eitha dy allu,
y byd mawr crwn.

W-w-w-w,
Ah-a-a-ah,
y byd mawr crwn.

# Cofio

*Unawd*

Cefin Roberts

Robat Arwyn

14
Cof - io?
Nes di gof - io Huw?
p
17
mp
Wyt ti we - di cof - io cau y dry - sa'i gyd, ca - dw'r tŷ yn gyn - nes, gyn - nes,
mp
20
fel bod pawb yn glyd? Nes di gof - io he - fyd ddeud 'nos da' yn glên? Ca - di
23
p
wnei di gof - io'r wên? Cof - io?
p

26
Cof - io?
Ca - di, cof - ia'r wên.
29
mp
Wyt ti we - di cof - io di - olch i bob un am bob
mp
32
peth a ges di hedd - iw, nes di gof - io Rhun? Di - olch i'th ri - e - ni, a dy
35
ffrind - iau glân, nes di gof - io di - olch Sian?

* Rhowch enw eich plentyn chi yma.

# COFIO

Wyt ti wedi cofio,
cyn rhoi dy ben i lawr,
cadw'th holl deganau bychain
yn y cwpwrdd mawr?
Nes di gofio diffodd
y teledu Huw?
Diffodd golau'r stafell fyw?

Cofio?
Cofio?
Nes di gofio Huw?

Wyt ti wedi cofio
cau y drysa'i gyd,
cadw'r tŷ yn gynnes, gynnes,
fel bod pawb yn glyd?
Nes di gofio hefyd
ddeud 'nos da' yn glên?
Cadi, wnei di gofio'r wên?

Cofio?
Cofio?
Cadi, cofia'r wên.

Wyt ti wedi cofio
diolch i bob un
am bob peth a ges di heddiw,
nes di gofio Rhun?
Diolch i'th rieni,
a dy ffrindiau glân,
nes di ddiolch Sian?

*Efan . . . 'nes di gofio? . . .

Cofio'r suo gân . . .

*(*Rhowch enw'ch plentyn chi ar y llinell olaf)*

# Heddiw, Heno, Fory

*SATB (neu unawd)*

Cefin Roberts

Einion Dafydd

12
fry uwch-ben, 'rwyt ti'n gwe-nu ac yn de-nu
da - wel nos. Plant yn ca-nu, rhyw - rai'n rhan-nu
llawn o hwyl. Dydd yn gwaw-rio, pawb yn de-ffro
16
ar gang-hen-nau'r pren. W
ym mhob cwm_ a rhos.
a chawn dda-thlu'r Ŵyl.

20
rall.
♩ = 48
mp
Cys-ga di-thau'n sŵn y cly-chau ma - ban tlws.
p
W
rall.
dim.
mp

26
mf
1.
2.
Tempo 1
p
Mae y-fo-ry a'i holl fi-ri wrth y drws.
drws.
W
Mae y-fo-ry a'i holl fi-ri wrth y drws.
drws.
1.
2.
Tempo 1
mf
p

34
f
dim.
rit.
D.S. al Fine
p
Cys - ga di - thau ma - ban tlws.
f
dim.
p
W
Cys - ga di - thau, Cys - ga di - thau ma - ban tlws.
rit.
D.S. al Fine
f
dim.
p
38
3.
dim.
rall.
pp
drws.
W
W
W
W
pp
drws.
W
W
W
W
3.
rall.
dim.
pp

# Heddiw, Heno, Fory

*Unawd*

Cefin Roberts

Einion Dafydd

# HEDDIW, HENO, FORY

Seren
fechan,
fry uwchben,
rwyt ti'n gwenu
ac yn denu
ar ganghenhau'r pren.

Cysga dithau'n
sŵn y clychau
maban tlws.
Mae yfory
a'i holl firi
wrth y drws.

Heno
mae 'na
dawel nos.
Plant yn canu,
rhywrai'n rhannu
ym mhob cwm a rhos.

Cysga dithau'n
sŵn y clychau
maban tlws.
Mae yfory
a'i holl firi
wrth y drws.

Fory
bydd hi'n
llawn o hwyl.
Dydd yn gwawrio,
pawb yn deffro
a chawn ddathlu'r Ŵyl.

Cysga dithau'n
sŵn y clychau
maban tlws.
Mae yfory
a'i holl firi
wrth y drws.

# Amser Gwely

*Unawd*

Cefin Roberts

Robat Arwyn

**Yn hamddenol** ♩ = 88

*p*

Mae hi'n

*p*

5

am-ser mynd i'r gwe-ly, mae hi'n saith o'r gloch.

yn chwareus ♩ = 88
13
mp
ca-dw bob te - gan yn dwt yn ei le,
peid-io a dad - la, rhaid gw-bod i ble.
mp
17
Clir-io pob lla-nast, rhaid ca-dw bob un,
mp
does 'na'r un te-gan eith a - dre ei
mp
21
p
hun.
p
Y-di
p
25
po-peth we - di'i glir- io?
we-di eu ca - dw nawr?

29
arafu
ond fel 'rawn ni fy-ny'r gris-ia, rhaid mynd nôl i lawr....
33
yn chwareus ♩ = 88
mp
te-di a phe-li a do-li fach glwt,
ci sydd yn cyf-arth a chys-gu'n ei gwt,
mp
37
ceir sydd yn ras-io, a morth-wyl a chŷn,
mp
does 'na'r un te-gan eith a - dre ei
mp
41
p
hun.
mp
Nawr mae'n am-ser mynd i'r gwe-ly,
p
mp

45
fy - ny'r gris dra - chefn.
A phan go - dwn yn y bo - re,
arafu
yn chwareus ♩ = 88
49
bydd pob dim mewn trefn.....
mf
mwc - lis a mar - blis a thrac - tor mawr trwm,
mf
53
mwn - ci sy'n ca - nu a chu - ro y drwm.
mp
llyfr dar - llen, llyfr paent - io, a
mp
56
llyfr tyn - nu llun,
mp
does 'na'r un te - gan eith a - dre ei hun,
mf
mp
mp
mf
mp

60
arafu
p
p
does 'na'r un te-gan eith a - dre ei hun.
p
p

# AMSER GWELY

Mae hi'n amser
mynd i'r gwely,
mae hi'n saith o'r gloch.
Ond cyn cawn ni
fynd i gysgu
na chael sws ar foch . . .

rhaid cadw bob tegan yn dwt yn ei le,
peidio a dadla, rhaid gwbod i ble.
Clirio pob llanast, rhaid cadw bob un,
does 'na'r un tegan eith adre ei hun.

Ydi popeth
wedi'i glirio,
wedi'i cadw nawr?
Ond fel 'rawn ni
fyny'r grisia,
rhaid mynd nôl i lawr . . .

tedi a pheli a doli fach glwt,
ci sydd yn cyfarth a chysgu'n ei gwt,
ceir sydd yn rasio, a morthwyl a chŷn,
does 'na'r un tegan eith adre ei hun.

Nawr mae'n amser
mynd i'r gwely,
fyny'r gris drachefn.
A phan godwn
yn y bore,
bydd pob dim mewn trefn . . .

mwclis a marblis a thractor mawr trwm,
mwnci sy'n canu a churo y drwm.
llyfr darllen, llyfr peintio a llyfr tynnu llun,
does 'na'r un tegan eith adre ei hun.
Clirio pob llanast rhaid cadw pob un,
does 'na'r un tegan eith adre ei hun.

# Pen-blwydd Hapus!

18
rit..
tempo 1
mp
bawb, i ffwrdd a ni. Dy ma'th bar - ti cyn - taf un, ac mae
mp
22
f
pawb yn gwe - nu'n ffri. Ca-nwn bawb wrth dyn - nu llun, "Pen - blwydd
f
26
ha - pus i ti".
31
mf
rit..
Blwydd - yn gron 'di myn - ed heib - io, ble mae'r am - ser we - di
mf

35
tempo 1
pp
rit.
gwib - io? Ba - ban bach sydd we - di prif - io, ca - nwn bawb, i ffwrdd a
pp
39
tempo 1
mp
ni. Ac fe gest ti gard - iau'n rhes, ac an - rheg - ion yn ddi -
mp
43
ri. Dewch i ga - nu, dewch yn nes, "Pen - blwydd ha - pus i
47
f
rit.
ti". Blwy - ddyn gron 'di my - ned heib - io, ble mae'r am - ser we - di
f

* rhowch enw eich plentyn chi ar y diwedd wrth gwrs!

# PEN-BLWYDD HAPUS

Chwyth dy gannwyll 'mychan bach,
ar dy gacen gyntaf di.
Clyw y plant yn canu'n iach,
"Pen-blwydd hapus i ti."

*Cytgan:*
Blwyddyn gron 'di myned heibio,
ble mae'r amser wedi gwibio?
Baban bach sydd wedi prifio,
canwn bawb, i ffwrdd a ni . . . .

Dyma'th barti cyntaf un,
ac mae pawb yn gwenu'n ffri.
Canwn bawb wrth dynnu llun,
"Pen-blwydd hapus i ti."

*Cytgan:*
Blwyddyn gron 'di myned heibio,
ble mae'r amser wedi gwibio?
Baban bach sydd wedi prifio,
canwn bawb, i ffwrdd a ni . . . .

Ac fe gest ti gardiau'n rhes,
ac anrhegion yn ddi-ri.
Dewch i ganu, dewch yn nes,
"Pen-blwydd hapus i ti."

*Cytgan:*
Blwyddyn gron 'di myned heibio,
ble mae'r amser wedi gwibio?
Baban bach sydd wedi prifio,
canwn bawb, i ffwrdd a ni . . . .

"Pen-blwydd hapus i ti,
pen-blwydd hapus i ti,
pen-blwydd hapus i *Efan,
pen-blwydd hapus i ti."

*(*Rhowch enw eich plentyn chi ar y diwedd wrth gwrs!)*

# Neithiwr

*Unawd neu ddeuawd*

Cefin Roberts

Robat Arwyn

12
p
ca-nodd gy-da'i de-lyn, y-na dwe-dodd pawb "A - men". Yn y
15
p
nos se - ren dlos, gwar-chod plant y byd mae hon. Daw ar
17
a - wel, gwyl-io'n da - wel, nes daw bo - re ne-wydd sbon. Yn y
daw
19
nos. se - ren dlos, gwar-chod plant y byd,

21
gwar-chod plant y byd mae hon.
p
25
p
* Llais 2 yn opsiynol
Neith - iwr, neith - iwr, neith - - -
p
*
Neith - iwr, neith - iwr, neith - - -
mp
(yr alaw yn y cyfeiliant)
28
mp
-iwr. Y-na, pan ddaw'r bo-re, aiff y se-ren fe-chan_wen
-iwr. Y-na, pan ddaw'r bo - re, aiff y se - ren wen gy-da'r

31
p
gy - da'r a -ngel disg - lair, a bydd or - iau'r nos ar ben. Yn y
p
a - ngel, a bydd nos ar ben. Yn y
p
34
nos, se - ren dlos, gwar-chod plant y byd mae hon. Daw ar
nos, se - ren dlos, gwar-chod plant mae hon.
36
a - wel, gwyl - io'n da - wel, nes daw bo - re ne - wydd sbon. Yn y nos se - ren dlos,
Daw ar a - wel ne - wydd sbon. Yn y nos, se - ren

39
gwar-chod plant y byd, gwar-chod plant y byd mae hon. Yn y
dlos, gwar-chod plant y byd mae hon. Yn y
42
nos, se-ren dlos, gwar-chod plant y byd mae hon. Daw ar
nos se-ren dlos, gwar-chod plant mae hon.
mp
44
a-wel, gwyl-io'n da-wel, nes daw bo-re ne-wydd sbon. Yn y
Daw ar a-wel ne-wydd sbon.

46
nos, se-ren dlos, gwar-chod plant y byd, gwar-chod plant y byd mae
Yn y nos, se-ren dlos, gwar-chod plant y byd mae
49
arafu
p
hon, gwar - chod plant y byd mae hon.
hon, mae hon, gwar - chod plant y byd mae hon.

# NEITHIWR

Neithiwr
daeth 'na seren
lawr i gadw cwmni i ti.
Gwenodd
uwch dy wely,
a daeth gwawl o'i golau hi.

Neithiwr
roedd 'na angel
yno gyda'r seren wen,
canodd
gyda'i delyn,
yna dwedodd pawb "Amen".

Yn y nos,
seren dlos,
gwarchod plant y byd mae hon.
Daw ar awel,
gwylio'n dawel,
nes daw bore newydd sbon.

Yn y nos,
seren dlos,
gwarchod plant y byd,
gwarchod plant y byd mae hon.

Neithiwr . . .
Neithiwr . . .
Neithiwr . . .

Yna,
pan ddaw'r bore,
aiff y seren fechan wen
gyda'r
angel disglair,
a bydd oriau'r nos ar ben.

Yn y nos,
seren dlos,
gwarchod plant y byd mae hon.
Daw ar awel,
gwylio'n dawel,
nes daw bore newydd sbon.
Yn y nos,
seren dlos,
gwarchod plant y byd mae hon.

# Colli Dant

Cefin Roberts

Einion Dafydd

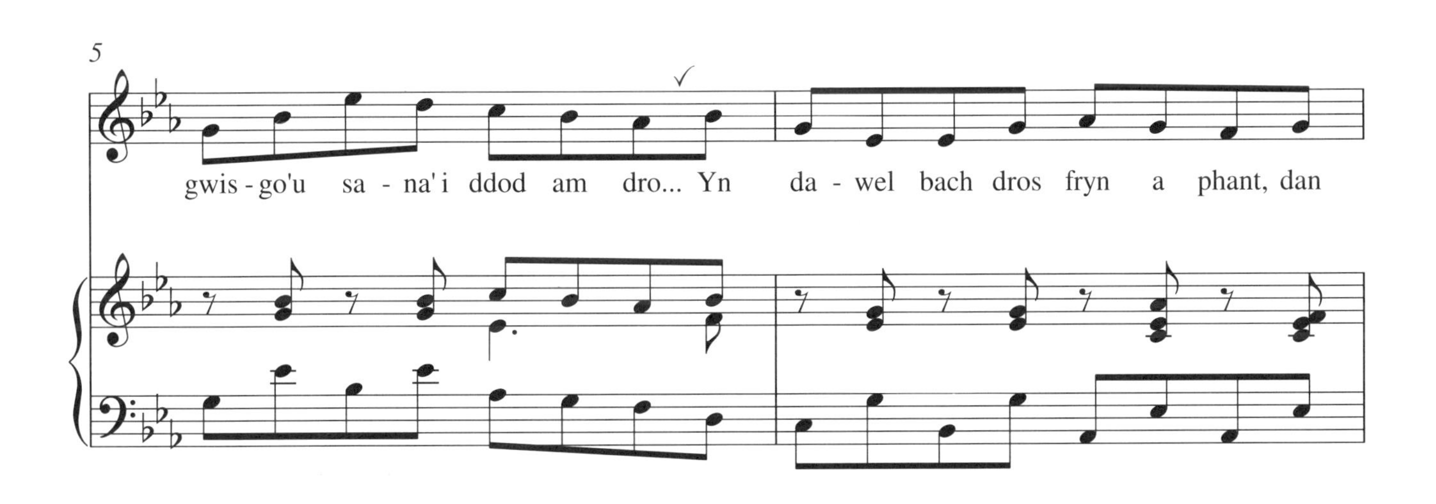

10
A tempo
Ty-bed 'sgen ti ddant sydd yn rhydd? Fa-lle cei di- tha_ dy wo-br ryw ddydd.
mf
13
rit.
A tempo
Mae'r Ty-lwyth Teg yn dweud mewn cân fod
p
cresc.
mf
16
cael un dant sy'n wyn a glân yn lla - wer mwy o werth na chael llond
18
rall.
gwlad o'r rhai mewn cyf-lwr gwael.

21
A tempo
Ty-bed 'sgen ti ddan-nedd fel hyn? Wyt ti'n eu ca- dw_ yn lân ac yn wyn?_
mf
24
rit.
A tempo
Mae'r Ty-lwyth Teg o wlad yr hud yn
p
cresc.
mp
27
ta - lu'n dda am ber-lau drud. Ac os wyt ti'n o - fa-lus iawn e - fa-llai cei di'r pris yn llawn!
30
rall.
A tempo
Ty-bed 'sgen ti ber-lau'n dy geg
8va
mf

33
rall.
accel.
a-llai droi'n dry- sor_ ym mro'r Ty-lwyth Teg?_
dim.
pp

# COLLI DANT

Mae'r Tylwyth Teg
sy'n byw'n y fro
yn gwisgo'u sana' i
ddod am dro . . .
yn dawel bach
dros fryn a phant,
dan chwilio'n ddyfal
am bob dant.

Tybed 'sgen ti
ddant sydd yn rhydd?
Falle cei ditha
dy wobr rhyw ddydd.

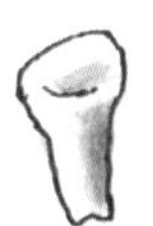

Mae'r Tylwyth Teg
yn dweud mewn cân
fod cael un dant
sy'n wyn a glân
yn llawer mwy
o werth na chael
llond gwlad o'r rhai
mewn cyflwr gwael.

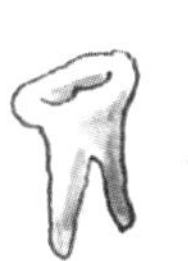

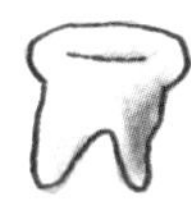

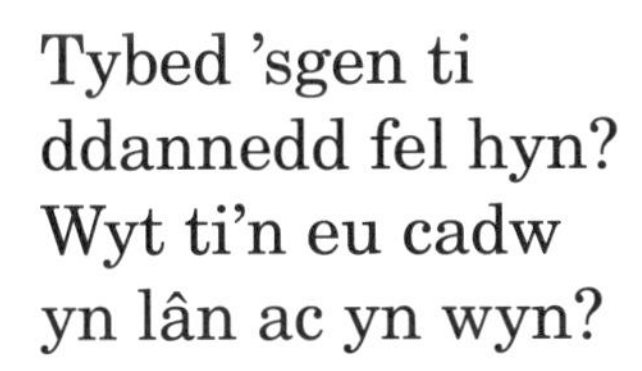

Tybed 'sgen ti
ddannedd fel hyn?
Wyt ti'n eu cadw
yn lân ac yn wyn?

Mae'r Tylwyth Teg
o wlad yr hud
yn talu'n dda
am berlau drud.
Ac os wyt ti'n
ofalus iawn
efallai cei di'r
pris yn llawn!

Tybed 'sgen ti
berlau'n dy geg
allai droi'n drysor
ym mro'r Tylwyth Teg?

# W's Di Be?

Cefin Roberts — *SATB (neu Unawd)* — Einion Dafydd

11
mf
llu - dded ym - hob troed,
(SATB) dy-na pryd mae'r corff yn gwei-thio
ym mhob tŷ drwy'r cwm,
[fel pennill 1]
cys - ga'n sownd drwy'r nos,
(Tenor, Bas) llu-dded ym - hob troed,
ym mhob tŷ drwy'r cwm,
cys-ga'n sownd drwy'r nos,
16
dy-na pryd y by-ddi'n pri - fio,
pan ddaw'r dydd i'w oed,
pan ddaw'r dydd i'w
pan ti'n cys - gu'n drwm,
pan ti'n cys - gu'n
pan ddaw'r freu-ddwyd dlos,
pan ddaw'r freu-ddwyd

oed Holl am - ran - tau'r sêr ddy-we - dant, Ar
drwm Dy - ma'r ffordd i fro go-gon - iant,
dlos Teu - lu'r nef - oedd mewn ta - we - lwch,
Ar
dim.
hyd y nos. W
hyd y nos.
W
1.2.
3.

30
dim. e rall.
nos.
Ar
hyd
y
nos.
Ar
hyd
y
nos.
dim. e rall.

# W's Di Be?

Cefin Roberts
Unawd
Einion Dafydd
Andante ♩ = 74
4
p
W's di be, mhlen-tyn bach? Pan ddaw'r dydd i'w oed,
W's di be, mhlen-tyn bach? Pan ti'n cys - gu'n drwm,
W's di be, mhlen-tyn bach? Pan ddaw'r freu- ddwyd dlos,
9
mf
a dy ly-gaid yn fli - ne - dig, llu - dded ym mhob troed,
a phawb a - rall sydd yn swa - tio ym mhob tŷ drwy'r cwm,
go - lau a - rall yw'r ty - wy - llwch, cys - ga'n sownd drwy'r nos.
dy - na pryd mae'r
[fel pennill 1]
15
corff yn gwei-thio, dy - na pryd y by - ddi'n pri - fio, pan ddaw'r dydd i'w oed,
pan ti'n cys - gu'n drwm,
pan ddaw'r freu-ddwyd dlos,
20
f
dim.
pan ddaw'r dydd i'w oed
pan ti'n cys - gu'n drwm,
pan ddaw'r freu-ddwyd dlos
Holl am - ran-tau'r sêr ddy-we-dant Ar hyd y
Dy - ma'r ffordd i fro go - go - niant
Teu - lu'r ne - foedd mewn ta - we - lwch
26
1.2.
3.
dim. e rall.
nos.
nos Ar hyd y nos.

# W'S DI BE?

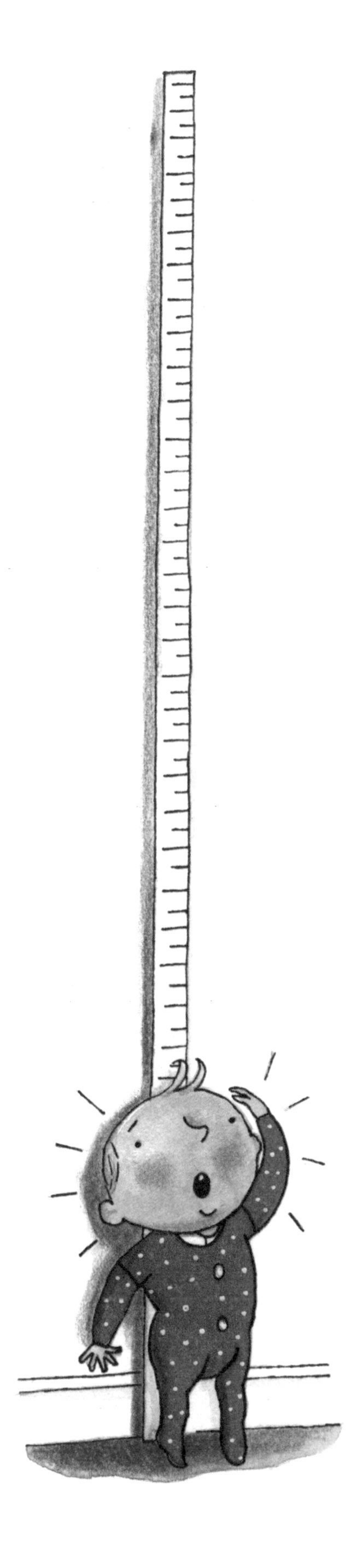

W's di be,
mhlentyn bach?
Pan ddaw'r dydd i'w oed,
a dy lygaid
yn flinedig,
lludded ymhob troed,
dyna pryd mae'r corff yn gweithio,
dyna pryd y byddi'n prifio,
pan ddaw'r dydd i'w oed,
pan ddaw'r dydd i'w oed . . .
Holl amrantau'r sêr ddywedant,
Ar hyd y nos . . .

W's di be,
mhlentyn bach?
Pan ti'n cysgu'n drwm,
a phawb arall
sydd yn swatio
ym mhob tŷ drwy'r cwm,
dyna pryd mae'r corff yn gweithio,
dyna pryd y byddi'n prifio,
pan ti'n cysgu'n drwm,
pan ti'n cysgu'n drwm.
Dyma'r ffordd i fro gogoniant,
Ar hyd y nos . . .

W's di be,
mhlentyn bach?
Pan ddaw'r freuddwyd dlos,
golau arall
yw'r tywyllwch,
cysga'n sownd drwy'r nos,
dyna pryd mae'r corff yn gweithio,
dyna pryd y byddi'n prifio,
pan ddaw'r freuddwyd dlos,
pan ddaw'r freuddwyd dlos.
Teulu'r nefoedd mewn tawelwch,
Ar hyd y nos . . .

# Beth?

*Deuawd*

Cefin Roberts

Annette Bryn Parri

rit.
tempo 1
pp
su - o gân.
un, dau, tri.
heul - wen haf.
Su - o,
Un, dau,
Heul - wen,
su - o, su - o gân.
un dau, un, dau, tri.
heul - wen, heul - wen haf.
mp
Si - lw - li - lw, drwy'r ori - au mân. Cari - ad a chof - laid wrth
Si - lw - li - lw, cwsg ddaw i ni. Cof - io'r a - la - won a
Si - lw - li - lw, O freudd - wyd braf. Medd - wl am fo - ry â'i

20
1.2.
gyfr - if y def - aid, a su - o gân.
gwer - si ath -ra - won ac un, dau, tri.
fwrl - wm a'i fi - ri a heul - wen
23
3.
haf.
leggiero

# BETH ?

Beth sydd yn gneud inni gysgu
drwy yr holl oriau mân?
Cariad a choflaid wrth
gyfrif y defaid,
a suo gân.
Suo,
suo,
suo gân.

Si-lwli-lŵ,
drwy'r oriau mân.
Cariad a choflaid wrth
gyfrif y defaid,
a suo
gân.

Wrth inni gau ein dwy lygaid,
beth ddaw a chwsg i ni?
Cofio'r alawon a
gwersi athrawon
ac un, dau, tri.
Un, dau,
un, dau,
un, dau, tri.

Si-lwli-lŵ,
cwsg ddaw i ni.
cofio'r alawon a
gwersi athrawon
ac un, dau,
tri.

Beth sydd yn dwad i'n harwain
heno i'n breuddwyd braf?
Meddwl am fory â'i
fwrlwm a'i firi
a heulwen haf.
Heulwen,
heulwen,
heulwen haf.

Si-lwli-lŵ,
O freuddwyd braf.
Meddwl am fory â'i
fwrlwm a'i firi
a heulwen
haf.

# Breuddwyd

Cefin Roberts

*Deuawd*

Einion Dafydd

Yn hamddenol tua ♩=44

16
i'r Coda
cresc.
freu - ddwyd... Tyrd cyn cyf-ri i ddeg Un, dau a thri.
[Pen.2] Ped-war, pump, chwech.
freu - ddwyd... tyrd cyn cyf-ri i ddeg Un, dau a thri.
[Pen.2] Ped-war, pump, chwech.
21
mf
Cawn fynd ar dy gar - ped hud i
Cawn lan-io ar fôr neu dir,
Cawn fynd ar dy gar - ped hud
Cawn lan-io ar fôr neu dir,
mp
26
bob rhyw gwr o'r byd. Hed-fan drwy'r cw - mwl ym - hell o bob trw - bwl, a
lleu-ad neu sêr yn wir. Rhyw-le y myn-nwn fan hon no y glan-iwn,ac
i bob rhyw gwr o'r byd. Hed-fan drwy'r cw - mwl ym - hell o bob trw - bwl, a
lleu-ad neu sêr yn wir. Rhyw-le y myn-nwn fan hon no y glan iwn,ac

30
dim.
phawb y - no'n ffrind - ia' i gyd.
a - ros am am - ser hir.
dim.
phawb y - no'n ffrind - ia' i gyd.
a - ros am am - ser hir.
dim.
33
36
Saith wyth a naw...
Saith, wyth a
Saith wyth a naw...
Saith, wyth a

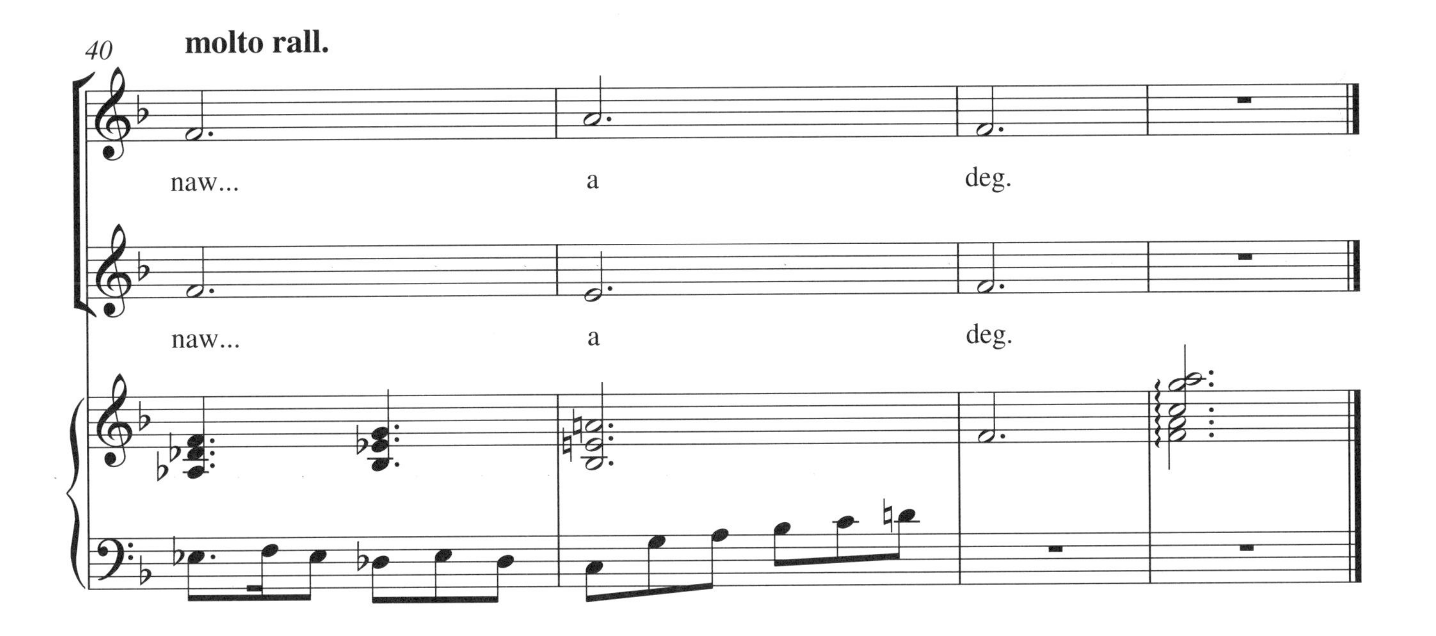
40
molto rall.
naw...
a
deg.
naw...
a
deg.

# BREUDDWYD

Un, dau a thri.
Un,
dau a
thri.
Freuddwyd!
Freuddwyd!
Tyrd
yn
ar-
a
deg.
Freuddwyd!
freuddwyd . . .
tyrd
cyn
cyfri
i
ddeg . . .
un, dau a thri . . .

Cawn fynd ar dy garped hud
i bob rhyw gwr o'r byd.
Hedfan drwy'r cwmwl
ymhell o bob trwbwl
a phawb yno'n ffrindia i gyd.

Pedwar, pump, chwech,
pedwar,
pump,
chwech.
Freuddwyd,
freuddwyd,
tyrd
yn
ar-
a
deg.
Freuddwyd,
freuddwyd,
tyrd cyn
cyfri
i
ddeg . . .
Pedwar, pump, chwech.

Cawn lanio ar fôr neu dir,
lleuad, neu sêr yn wir.
Rhywle y mynnwn,
fan honno y glaniwn,
ac aros am amser hir.

Saith, wyth a naw.
Saith,
wyth
a naw.
Freuddwyd,
freuddwyd,
tyrd
yn
ar -
a
deg.
Freuddwyd,
freuddwyd,
tyrd
cyn
cyfri
i
ddeg.
Saith, wyth a naw . . . a-a-a-deeeeeg.